Paddington

Première publication en langue originale par HarperCollins Publishers Ltd.
sous le titre *Paddington: The original story of the bear from Peru*

Texte © Michael Bond, 1998, 2007
Illustrations © R.W. Alley, 2007
Tous droits réservés.
L'auteur et l'illustrateur revendiquent leurs droits moraux à être identifiés comme les auteurs et illustrateurs
de cette œuvre.

© Michel Lafon, 2014, pour la traduction française
118, avenue Achille Peretti – CS 70024
92521-Neuilly-sur-Seine Cedex
www.lire-en-serie.com

Dépôt légal : avril 2014
ISBN : 978-2-7499-2188-4
LAF 1835B

Imprimé en Italie.

MICHAEL BOND

Paddington

L'histoire de l'ours qui venait du Pérou

Illustré par R.W. Alley

Traduction et adaptation de l'anglais (Grande-Bretagne)
par Jean-Noël Chatain

M. et Mme Brown ont rencontré Paddington pour la première fois sur un quai de gare. D'où ce drôle de nom pour un ours, parce que ça se passait à la gare de Paddington.

Les Brown attendaient l'arrivée de leur fille, Judy, quand M. Brown remarqua une petite boule de poils près de la consigne.

— On dirait un ours, dit-il.

— Un ours ? répéta sa femme. À la gare de Paddington ? Ne dis pas de bêtises, Henry. C'est impossible !

Mais M. Brown avait raison. L'animal était assis sur une vieille valise de cuir avec l'étiquette EN CABINE. Lorsqu'ils s'approchèrent de lui, il se redressa et leva poliment son chapeau.

— Bonjour, dit-il. Puis-je vous aider ?

— C'est très aimable à toi, dit Mme Brown, mais en fait, nous nous demandions si *nous* pouvions t'aider ?

— Tu es un tout petit ours, dit M. Brown. D'où viens-tu ?

L'ourson regarda prudemment autour de lui avant de répondre.

— Je viens du fin fond du Pérou. Je ne suis pas censé me trouver ici. J'ai voyagé en clandestin.

— Tu as fait ce long voyage tout seul depuis l'Amérique du Sud ? s'exclama Mme Brown. Comment t'es-tu nourri ?

L'ours ouvrit alors la valise et en sortit un bocal presque vide.

— J'ai mangé de la marmelade, dit-il. Les ours aiment la marmelade.

Mme Brown regarda le petit mot autour du cou de l'animal.

Il y était simplement écrit :

— Oh, Henry ! s'écria-t-elle. Nous ne pouvons pas le laisser
là tout seul. Imagine ce qui pourrait lui arriver. Et s'il venait à
la maison avec nous ?

— Avec nous ? répéta M. Brown d'une voix nerveuse.

Il regarda l'ours et lui demanda :

— Euh… Ça te plairait ?

Puis il s'empressa d'ajouter :

— Si tu n'as rien d'autre de prévu, bien sûr.

— Oooh, oui ! répondit l'ours. Ça me plairait beaucoup. Je ne
sais pas où aller, et tout le monde a l'air si pressé, dans cette gare.

— Eh bien, c'est d'accord, conclut Mme Brown. Mais tu dois avoir soif après ton voyage. M. Brown peut aller te chercher du thé, pendant que j'irai attendre notre fille, Judy.

— Mais… Mary, dit M. Brown. Nous ne connaissons même pas son nom.

Mme Brown réfléchit un instant.

— Je sais, dit-elle. Nous l'appellerons Paddington… comme cette gare.

— Paddington ! répéta l'ours en testant le nom plusieurs fois. Ça sonne bien et ça me donne de l'importance.

M. Brown testa le nom à son tour :

— Suis-moi, Paddington ! Je t'emmène à la cafétéria.

M. Brown tint sa promesse. Paddington n'avait jamais vu autant de bonnes choses sur un plateau. Qu'allait-il goûter en premier ?

Il avait tellement faim et tellement soif qu'il grimpa sur la table pour voir tout ça de près.

M. Brown prit un air dégagé, comme s'il avait l'habitude de boire le thé avec un ours à la gare de Paddington.

— Henry ! s'écria Mme Brown en arrivant avec Judy. Que fais-tu à ce pauvre ours ?

Paddington sursauta et leva son chapeau. Dans sa hâte, il marcha sur une tarte aux fraises et à la confiture, glissa sur la crème et tomba à la renverse dans sa tasse de thé.

— Je crois que nous ferions mieux de partir avant une autre
catastrophe, dit M. Brown.

Judy prit Paddington par la patte.

— Viens, dit-elle. On t'emmène à la maison. Tu vas faire la
connaissance de Mme Bird et de mon frère, Jonathan.

M. Brown s'approcha du taxi qui attendait.

— Au numéro 32 Windsor Gardens, s'il vous plaît, dit-il.

Le chauffeur regarda Paddington.

— Pour les ours, il y a un supplément, grogna-t-il. Pour les ours tout collants, c'est le double. Et veillez à ce qu'il ne salisse pas ma voiture. Elle était propre quand je suis parti ce matin.

Le soleil brillait quand ils sortirent de la gare et il y avait des voitures et des grands bus rouges partout. Paddington fit coucou à des gens qui attendaient à un arrêt et plusieurs lui répondirent en agitant la main. C'était très sympa.

Paddington
tapota l'épaule du
chauffeur de taxi.
— Ce n'est pas
du tout comme au
fin fond du Pérou !
s'exclama-t-il.

L'homme sursauta en entendant
la voix de l'ours.
— Bravo ! Ma veste est toute
tachée maintenant ! s'énerva-t-il.
Puis il referma la petite vitre
de séparation.
— Oh, là, là ! Henry,
murmura Mme Brown.
Je me demande si nous
avons bien fait…

Heureusement, avant qu'il puisse répondre, ils arrivèrent à Windsor Gardens et Judy aida Paddington à descendre sur le trottoir.

— Tu vas rencontrer Mme Bird, dit-elle. Elle s'occupe de nous. Parfois elle a l'air un peu féroce, mais elle ne l'est pas vraiment. Je suis sûre que tu vas l'apprécier.

Paddington sentit ses genoux se mettre à trembler.

— Bon… si tu le dis. Mais moi, elle va m'apprécier ?

— Bonté divine ! s'exclama Mme Bird. Que m'amenez-vous donc là ?

— C'est un ours, répondit Judy. Il s'appelle Paddington et va habiter chez nous.

— Un ours ? s'étonna Mme Bird, tandis que Paddington levait son chapeau pour la saluer. En tout cas, il est bien élevé !

— Euh… j'ai marché par erreur sur une tarte à la confiture, dit Paddington.

— Je vois ça, dit Mme Bird. Tu ferais mieux de prendre un bain tout de suite. Judy va remplir la baignoire. Ensuite, j'imagine que tu voudras de la marmelade !

— Je crois qu'elle t'aime bien, murmura Judy.

Paddington n'avait jamais vu de salle de bains et, pendant que l'eau coulait, il fit comme chez lui. D'abord, il essaya d'écrire son nom sur la buée qui recouvrait le miroir.

Ensuite, il dessina la carte du Pérou par terre avec la mousse à raser de M. Brown. Quand il sentit une goutte d'eau sur la tête, il se rappela enfin ce qu'il devait faire.

Il découvrit bientôt que c'était facile d'entrer dans une baignoire, mais bien plus difficile d'en ressortir. Surtout si elle débordait d'eau savonneuse !

Paddington essaya d'appeler.

— Au secours !
dit-il doucement au début, pour ne pas affoler toute la maison.

Puis il hurla très fort :

AU SECOURS !

AU SECOURS !

Comme personne ne réagissait, il se mit à écoper la baignoire avec son chapeau. Mais celui-ci était plein de trous. Sur le sol, sa carte du Pérou se transforma vite en une mer de mousse.

Soudain, Jonathan et Judy déboulèrent dans la salle de bains. Ils hissèrent Paddington hors de l'eau et le posèrent par terre, tout dégoulinant.

— Dieu merci, tu n'as rien ! s'écria Judy.

— Quelle pagaille ! remarqua Jonathan d'un air admiratif. Tu aurais dû retirer la bonde.

— Oh ! fit Paddington. Je n'y ai pas pensé.

Quand Paddington descendit, il avait l'air si propre que personne ne lui en voulait. Son poil était doux et soyeux, son museau brillait et il n'y avait plus aucune trace de confiture ou de crème sur ses pattes.

Les Brown l'installèrent dans un petit fauteuil et Mme Bird
lui apporta du thé et des toasts beurrés avec de la marmelade.

— Maintenant, dit Mme Brown, tu dois nous parler de toi. Je suis sûre que tu as vécu des tas d'aventures.

— En effet, dit Paddington d'un air sérieux. Il m'arrive toujours plein de choses. Je suis ce genre d'ours.

Il se cala dans le fauteuil et continua :

— J'ai été élevé par ma tante Lucy au fin fond du Pérou. Mais elle a dû partir à Lima, dans une maison de retraite pour les ours.

Il ferma les yeux d'un air songeur et un silence envahit la pièce. Tout le monde attendait la suite…

Au bout d'un petit moment, comme rien ne se passait, la famille commença à s'agiter. M. Brown toussota. Puis il tendit la main et poussa Paddington du doigt.

— Ça alors, dit-il. Je crois bien qu'il dort !

— Après tout ce qui lui est arrivé, dit Mme Brown, comment s'en étonner ?